Arwr
y Gofod

Steve Barlow – Steve Skidmore

Darluniau gan Sonia Leong

Addasiad gan Catrin Hughes

RILY

CYFRES ARWR – ARWR Y GOFOD
ISBN 978-1-904357-68-1

Rily Publications Ltd
Blwch Post 20
Hengoed
CF82 7YR

Cyhoeddwyd am y tro cyntaf gan Franklin Watts yn 2009

Cyhoeddwyd yn wreiddiol yn Saesneg fel
iHero – Space Rescue gan Franklin Watts
argraffnod o Hachette Children's Books, un o gwmnïau Hachette UK

Addasiad gan Catrin Hughes
Hawlfraint yr addasiad © Rily Publications Ltd 2011

Hawlfraint y Testun © Steve Barlow a Steve Skidmore 2009
Darluniau © Sonia Leong 2009
Cynllun y clawr gan Jonathan Hair

Noddwyd gan Lywodraeth Cynulliad Cymru

Cysodwyd gan Wasg Dinefwr, Llandybïe, Sir Gaerfyrddin

www.rily.co.uk

Argraffwyd a rhwymwyd yn y Deyrnas Unedig
gan CPI Group (UK) Ltd, Croydon, CR0 4YY

Dewis dy dynged...

Mae'r llyfr hwn yn wahanol i lyfrau eraill y byddi di wedi eu darllen. *Ti* yw arwr yr antur y tro hwn. Ti sy'n penderfynu sut mae'r antur yn datblygu.

Mae rhif ar bob adran o'r llyfr. Ar ddiwedd y rhan fwyaf o'r adrannau, bydd gen ti ddewis. Bydd hynny'n dy arwain di i adran wahanol o'r llyfr.

Bydd rhai dewisiadau yn dy helpu i orffen yr antur yn llwyddiannus. Ond rhaid i ti fod yn ofalus – mae dewis anghywir yn gallu bod yn beryg bywyd!

Os byddi di'n methu, dechreua eto a dysga o dy gamgymeriadau.

Os byddi di'n dewis yn gywir, fe wnei di lwyddo.

Paid â methu, bydda'n arwr!

Ti yw prif ofodwr Asiantaeth Gofod y Cenhedloedd Unedig (AGCU). Rwyt ti wedi hedfan i'r gofod lawer gwaith, ac wedi treulio misoedd yn treialu llongau gofod newydd.

Ti yw'r un y mae AGCU yn galw arno pan fydd argyfwng. Cyn hyn, rwyt ti wedi trwsio lloerennau, wedi achub gofodwyr, a hyd yn oed wedi delio gyda Ffurfiau Bywyd Estron (FfBE).

Yn gynnar un bore, mae'r ffôn LloerFid yn dy ddeffro di.

"Ateb," rwyt ti'n dweud. Daw'r sgrin fideo ymlaen, gan ddangos llun dyn.

Mae e'n dweud, "Mae dy angen di yma ar unwaith. Mae car yr Asiantaeth ar ei ffordd draw atat ti."

"Iawn," rwyt ti'n ateb. "Fe gasgla i fy mhethau."

Rwyt ti'n pacio dy fag yn gyflym, ac yn gadael. Tu allan, mae car slic, du yn aros amdanat ti. Rwyt ti'n camu i mewn iddo, ac mae'r drws yn cau ar dy ôl.

"Bore da. Mwynhewch y siwrne," mae cyfrifiadur y car yn dweud.

Wrth i'r car adael, rwyt ti'n meddwl tybed pa beryglon fydd yn dy wynebu ar yr antur newydd hon.

- **Nawr tro i adran 1**

1

Daw'r siwrne i ben y tu allan i bencadlys AGCU
ac rwyt ti'n mynd i swyddfa'r cyfarwyddwr ar dy
union.

Mae e'n aros amdanat ti. "Mae gyda ni
broblem," mae e'n dweud.

"A dyna pam rydych chi wedi galw amdana i,"
rwyt ti'n ateb. "Beth sy'n bod?"

"Mae rhywbeth od wedi digwydd yng ngorsaf
yr Asiantaeth ar y lleuad," dywed y cyfarwyddwr.
"Ddeuddydd yn ôl, collwyd pob cysylltiad gyda'r
orsaf. Rydyn ni angen i ti fynd yno i weld beth sy'n
bod. Os oes problem, yno, rhaid i ti ddelio â hi."

"Sut fydda i'n cyrraedd yno?" rwyt ti'n gofyn.

"Fe fyddi'n hedfan yno, ar dy ben dy hun,
mewn llong ofod un sedd – y Saeth," mae'r
cyfarwyddwr yn ateb. "Mae'n gyflymach na
gwennol, ac mae'n bwysig cyrraedd yno'n fuan."

Rwyt ti'n cytuno. "Felly fe fydda i ar fy mhen
fy hun – heb griw cefnogi?"

"Dyna pam mai ti yw'r un ar gyfer y dasg – ti
yw'r gorau. Efallai mai rhywbeth syml sydd wedi
mynd o'i le."

"Ond fe all fod yn beryglus," rwyt ti'n dweud.

"Wyt ti am dderbyn yr her?" gofynna'r pennaeth.

- **Os wyt ti'n derbyn, cer i 46**
- **Os wyt ti'n gwrthod, cer i 8**

2

Mae'r fflamau'n diffodd wrth i ti wasgu'r botwm rheoli tân.

Rwyt ti'n cydio'n dynn yn y llyw ac yn hedfan trwy'r storm arw. Mae'r crynu'n peidio wrth i ti adael atmosffer y Ddaear a chyrraedd y gofod. Rwyt ti'n gofyn i'r cyfrifiadur wirio'r offer.

"Dim niwed sylweddol," mae llais y cyfrifiadur yn cyhoeddi.

Rwyt ti'n cysylltu gyda chanolfan reoli AGCU. "Popeth yn iawn," rwyt ti'n dweud. "Mae'r daith yn parhau…"

Cer i 19

3

Rwyt ti'n rhuthro i mewn i'r siambr ac yn cuddio wrth y drws. Mae'r creadur estron yn dy ddilyn i mewn i'r siambr. Cyn iddo allu ymateb, rwyt ti'n gwibio o dy guddfan ac allan o'r siambr.

Mae'r drysau'n cau, ac rwyt ti'n pwyso 'Cloi'.

Mae'r creadur estron dan glo! Mae e'n dyrnu'r drws, ond dyw e ddim yn gallu dianc.

Rwyt ti'n gwenu. Y cyfan sy'n rhaid i ti ei wneud nawr yw cysylltu gyda AGCU yn ôl ar y Ddaear ac fe fyddan nhw'n anfon tîm i ddelio gyda'r creadur.

• **Cer i 50**

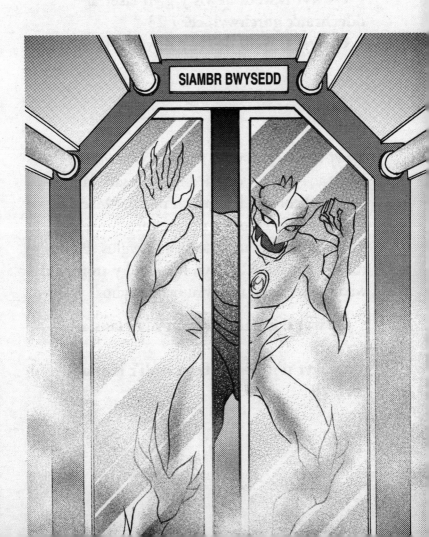

4

Rwyt ti'n camu i mewn i'r sied awyrennau.
Wrth i ti gynnau'r golau ar dy helmed, rwyt ti'n
cael cip ar rywbeth yn symud draw wrth danc
ocsigen.

- **Os wyt ti wedi dewis y gwn laser ar
ddechrau'r gorchwyl, cer i 23**
- **Os wyt ti wedi dewis y ddyfais AFfBE, cer i
48**

5

Rwyt ti'n dweud wrth yr athro bod yn rhaid i ti
fynd, ac rwyt ti'n cerdded draw i'r safle lansio.
    Mae rheolwr y lansiad yn poeni. "Mae yna
stormydd trydanol yn nesáu atom," mae e'n
dweud. "Gallai lansio fod yn beryglus. Byddai'n
well i ni aros am 24 awr, nes bydd y stormydd
wedi pasio. Ond ti ddylai benderfynu."

- **Os wyt ti eisiau parhau gyda'r lansiad,
cer i 41**
- **Os wyt ti'n penderfynu oedi'r lansiad,
cer i 18**

6

Cyn i ti symud, mae'r drws yn agor. Rwyt ti'n gweiddi wrth i greadur estron neidio atat a chydio ynot ti. Rwyt ti'n teimlo dy feddwl yn cymylu wrth iddo orchfygu dy gorff. Rwyt ti wedi cael dy droi yn greadur estron!

• **Rwyt ti wedi methu. Os wyt ti eisiau dechrau'r gorchwyl eto, cer i 1**

7

Rwyt ti'n diffodd dy gyflenwad ocsigen ac yn tynnu dy helmed. Camgymeriad mawr! Mae atmosffer yr orsaf yn ansefydlog – fe anghofiaist ti wirio hynny!

Rwyt ti'n methu anadlu ac yn cwympo i'r llawr. Rwyt ti'n sgrialu am dy helmed, yn ceisio cynnau'r cyflenwad ocsigen eto, ond mae'n anobeithiol. Mae'r düwch yn lapio amdanat.

• **Camgymeriad elfennol sydd wedi dy ladd di. Cer yn ôl i 1**

8

Mae'r cyfarwyddwr yn gwgu. "Pa fath o arwr wyt ti?"

"Jôc!" rwyt ti'n ateb. "Wrth gwrs fy mod i am fynd."

• **Cer i 46**

9

"Be ddigwyddodd?" rwyt ti'n gofyn.

Mae'r Cadlywydd Peters yn camu ymlaen. "Mae'r cyfan yn rhan o gynllun ymosod," mae hi'n egluro. "Daeth creadur estron o alaeth Rigws yma er mwyn cipio gorsaf y lleuad. Ar ôl iddo wneud hynny, byddai estroniaid eraill wedi cyrraedd yma, i baratoi i ymosod ar y Ddaear."

Rwyt ti wedi drysu.

• **Os wyt ti eisiau gofyn i'r Cadlywydd sut mae hi'n gwybod hyn, cer i 29**
• **Os wyt ti eisiau defnyddio'r ddyfais AFfBE, cer i 47**

10

Rwyt ti'n gweiddi i mewn i dy radio "Dwi'n rhoi'r gorau i'r gorchwyl!"

Wrth i ti wasgu'r botwm terfynu, caiff y Saeth ei tharo. Rwyt ti'n ceisio rheoli'r llong ofod, ond mae'n anobeithiol. Rwyt ti'n clywed ffrwydrad anferth, ac yna dim byd...

• **Rwyt ti wedi talu'r pris eithaf. Os wyt ti eisiau dechrau eto, cer yn ôl i 1**

11

Rwyt ti'n cynnau'r linc cyfathrebu. Daw'r sgrin yn fyw, ac mae llun menyw'n ymddangos arno.

Mae hi'n dechrau siarad. "Fi yw'r Cadlywydd Peters, pennaeth gorsaf y lleuad. Mae rhywbeth yn ymosod arnom ni. Rydyn ni wedi dod o hyd i greadur estron, ac mae e wedi atal pob cyfathrebu rhwng yr orsaf a'r Ddaear. Mae e'n ymosod ar ein—"

Mae'r sgrin yn wag. Rwyt ti'n sylweddoli fod y sefyllfa'n dyngedfennol.

• **Os wyt ti eisiau mynd i'r orsaf, cer i 43**
• **Os wyt ti eisiau edrych yn y sied awyrennau, cer i 4**

12

Mae'r meteorau'n dal i saethu tuag atat, ond rywsut, rwyt ti'n llwyddo i'w hosgoi.

Yna, yn sydyn, mae'r storm yn diflannu. Rwyt ti'n tynnu anadl ddofn o ryddhad, ac yn rhoi gwybod i'r ganolfan reoli dy fod ti'n iawn.

"Da iawn," mae'r cyfarwyddwr yn dweud. "Nawr cysga."

Rwyt ti'n gosod y llong ofod ar beilot awtomatig, ac yna'n llyncu pilsen cysgu.

Oriau'n ddiweddarach, rwyt ti'n deffro. Mae'r llong ofod ar fin cyrraedd y lleuad. Rwyt ti am hedfan y llong ofod dy hun, er mwyn gallu glanio mor agos â phosibl at yr orsaf. Mae'n rhaid dewis ongl y glaniad.

- **Os wyt ti'n penderfynu glanio'r llong ofod ar ongl o 45 gradd, cer i 25**
- **Os wyt ti'n penderfynu glanio ar ongl o 75 gradd, cer i 40**

13

Rwyt ti'n mynd i'r stafell gyfathrebu. Rwyt ti'n sefyll tu fas i'r drws ac yn anadl'n ddwfn.

- **Os dewisaist ti'r gwn laser ar ddechrau'r gorchwyl, cer i 45**
- **Os dewisaist ti'r ddyfais AFfBE, cer i 39**

14

Rwyt ti'n pwyntio at y ddyfais AFfBE.

"Fe gymera i hwn."

"Dewis da," mae'r athro'n dweud. "Mae'n gweithio trwy ddarllen strwythur DNA popeth byw. Nawr – wyt ti eisiau i mi egluro sut mae offer rheoli'r Saeth yn gweithio?"

"Dwi'n gwybod popeth am y Saeth," rwyt ti'n ateb. "Fi oedd yn ei hedfan hi yn ystod cyfnod treialu'r llong ofod."

Mae'r athro'n ysgwyd ei ben. "Ond fe wnaethon ni rai newidiadau."

- **Os wyt ti am wrando ar yr athro, cer i 37**
- **Os wyt ti eisiau bwrw ymlaen gyda'r gorchwyl, cer i 5**

15

Wrth i ti groesi ar hyd wyneb y lleuad at ddrws yr orsaf, rwyt ti'n sylwi ar wennol ofod tu allan i sied awyrennau. Rwyt ti'n sylwi ar rywbeth rhyfedd yn symud tuag ati.

- **Os wyt ti eisiau mynd at y wennol, cer i 33**
- **Os wyt ti eisiau mynd i mewn i'r ganolfan, cer i 45**

16

Rwyt ti'n tynnu ar y llyw, ac yn tanio ôl-hyrddwyr y roced. Ond mae'n rhy hwyr. Mae'r llong ofod yn rhuthro tuag at wyneb y lleuad.

Mae yna sŵn annaearol wrth i'r roced rwygo yn ei hanner. Rwyt ti'n edrych yn ôl at y Ddaear. Dyna'r peth olaf i ti ei weld cyn marw.

- **Os wyt ti eisiau dechrau'r antur eto, cer yn ôl i 1**

17

Wrth i ti wasgu'r glicied, mae'r creadur estron yn symud. Mae'r llif egni o'r arf yn saethu heibio i'r creadur, ac yn taro tanc ocsigen. Yn rhy hwyr, rwyt ti'n sylweddoli dy fod ti wedi gwneud camgymeriad marwol. Mae yna ffrwydrad anferth, ac mae pelen o dân yn dy amgylchynu.

- **Mae dy gamgymeriad wedi dy ladd di. Os wyt ti eisiau dechrau eto, cer i 1**

18

"Mae'n rhy beryglus. Fe ddylen ni ohirio."

Mae rheolwr y lansiad yn cytuno. "Fe ddyweda i wrth y cyfarwyddwr."

Ddeng munud wedyn, mae dy ffôn LloerFid yn canu. Y cyfarwyddwr sydd yno. Mae e'n gandryll. "Y llwfrgi!" mae e'n gweiddi. "Roedd angen gweithredu ar frys! Fe chwilia i am ofodwr arall – chei di ddim gweithio i ni eto! Rhaid i ti adael y ganolfan ar unwaith!"

Cyn i ti gael cyfle i ddweud gair, mae'r cyfarwyddwr yn dod â'r alwad i ben. Trwy boeni am dy ddiogelwch dy hun yn hytrach na'r gwaith, rwyt ti wedi methu. Dyna ddiwedd ar dy yrfa.

• **Os wyt ti am fod yn arwr, rwyt ti'n gallu ail-ddechrau'r antur trwy fynd yn ôl i 1**

19

Mae oriau'n pasio. Cyn bo hir, mae'r Ddaear yn bell i ffwrdd ac rwyt ti'n syllu drwy'r ffenest ar ddüwch y gofod.

Yn sydyn, mae larwm yn canu. Mae llais uchel y cyfrifiadur yn llenwi'r caban. "RHYBUDD! RHYBUDD! Eitemau anhysbys o'n blaen!"

Rwyt ti'n edrych ar radar y cyfrifiadur. Mae dwsinau o smotiau gwyn ar y sgrin. Rwyt ti'n teithio ar dy union i ganol storm feteorau! Beth ddylet ti ei wneud?

• **Os wyt ti eisiau rhoi'r gorau i'r gorchwyl, cer i 10**

• **Os wyt ti eisiau defnyddio'r dull hedfan awtomatig, cer i 44**

• **Os hoffet ti hedfan y llong ofod dy hun, cer i 49**

19

20

Rwyt ti'n syllu trwy'r ffenest. Mae gorsaf y lleuad tua dau gan metr i ffwrdd. Rwyt ti'n troi dy linc cyfathrebu â'r Ddaear ymlaen. Mae yna neges ar y sgrin:

**DIM CYFATHREBU
DAEAR–LLEUAD
AR GAEL**

Rwyt ti'n ceisio meddwl beth sy'n achosi hyn, cyn sylweddoli fod dy radio argyfwng yn ddiwerth. Rwyt ti ar dy ben dy hun. Mae dy systemau cynnal bywyd a dy arfwisg gorfforol amdanat. Rwyt ti'n codi gweddill dy offer ac yn gorchymyn: "Agor y drws."

Mae'r drysau metel yn agor, ac rwyt ti'n camu ar wyneb y lleuad.

- **Os wyt ti eisiau mynd i mewn i orsaf y lleuad ar unwaith, cer i 15**
- **Os hoffet ti chwilio tu allan i'r orsaf, cer i 28**

21

Gan ddefnyddio'r teclyn llywio lloeren, rwyt ti'n teithio'n araf ar hyd coridorau metel gorsaf y lleuad. Does yna'r un arwydd o fywyd. O'r diwedd, rwyt ti'n cyrraedd at ddrws yr ardal systemau cynnal bywyd. Rwyt ti'n paratoi i fynd i mewn yno.

- **Os dewisaist ti'r gwn laser ar ddechrau'r gorchwyl, cer i 45**
- **Os dewisaist ti'r ddyfais AFfBE, cer i 34**

22

Rwyt ti'n pwyntio at y gwn laser. "Fe gymera i hwn."

"Dewis da," mae'r athro'n dweud. "Hoffet ti i mi egluro sut mae offer rheoli'r Saeth yn gweithio?"

"Dwi'n gwybod popeth am y Saeth," rwyt ti'n ateb. "Fi oedd yn ei hedfan hi yn ystod cyfnod treialu'r llong ofod."

Mae'r athro'n ysgwyd ei ben. "Ond fe wnaethon ni rai newidiadau."

- **Os wyt ti am wrando ar yr athro, cer i 37**
- **Os wyt ti eisiau bwrw ymlaen gyda'r gorchwyl, cer i 5**

23

Rwyt ti'n paratoi dy arf ac yn symud ymlaen yn araf.

Wrth graffu i'r tywyllwch, rwyt ti'n gweld siâp dieithr ac rwyt ti'n cael sioc. Nid siâp dynol yw hwn – mae'n wahanol i unrhyw beth welaist ti o'r blaen.

- **Os wyt ti eisiau saethu'r creadur, cer i 17**
- **Os hoffet ti arwyddo arno i nesáu atat, cer i 38**

23

24

Rwyt ti'n agor y drws ac yn camu i mewn. Mae'r stafell yn llawn sgriniau cyfrifiadurol sy'n dangos pob math o wybodaeth am orsaf y lleuad. Mae yna lawer o oleuadau coch yn fflachio. Mae hi'n bosibl rheoli'r holl systemau cynnal bywyd o fan hyn.

Rwyt ti'n eistedd wrth y ddesg reoli ac yn gwneud yr atmosffer yng ngorsaf y lleuad yn ddiogel, er mwyn i ti allu anadlu heb wisgo dy helmed.

O fewn munudau, mae'r cyfrifiadur yn cyhoeddi fod popeth yn ddiogel ac rwyt ti'n tynnu dy helmed. Tybed ble mae'r creadur estron? Ac a oes yna rai o'r criw yn dal yn fyw?

- **Os hoffet ti chwilio am gliwiau ar y cyfrifiadur, cer i 36**
- **Os wyt ti eisiau dychwelyd i'r orsaf ar unwaith a chwilio am y criw, cer i 45**

25

Mae dy ongl glanio'n dda.

Mae'r llong ofod yn arafu, ac mae wyneb y lleuad yn agosáu. Rwyt ti'n gallu gweld yr orsaf. Rwyt ti'n defnyddio'r offer rheoli glaniad ac yn hedfan i mewn. Mae rocedi glanio'n arafu'r llong ofod.

Rwyt ti'n ofodwr gwych. Dyw'r llwch ar wyneb y lleuad prin yn symud wrth i ti lanio'n berffaith.

- **Nawr cer i 20**

26

Rwyt ti'n brysio ar ôl y creadur estron, ond erbyn i ti gyrraedd at ddrws y sied awyrennau, mae e wedi diflannu. Rwyt ti'n penderfynu mynd i mewn i orsaf y lleuad.

- **Cer i 43**

27

Rwyt ti'n gwasgu'r gliced. Rwyt ti wedi anelu'n gywir, ac mae'r siâp yn cwympo i'r llawr. Rwyt ti'n rhuthro ymlaen at y corff, ac yna'n gweiddi mewn anobaith. Rwyt ti wedi saethu un o'r criw! Roedd hi'n cuddio, mae'n rhaid. Wrth i ti blygu dros ei chorff, rwyt ti'n clywed sŵn tu ôl i ti. Rwyt ti'n troi'n gyflym ac yn sgrechian mewn braw wrth i greadur estron gydio ynot ti. Rwyt ti'n teimlo dy feddwl yn cymylu wrth i'r creadur orchfygu dy gorff. Rwyt ti wedi cael dy droi yn greadur estron!

- **Rwyt ti wedi methu. Os wyt ti eisiau dechrau eto, cer i 1**

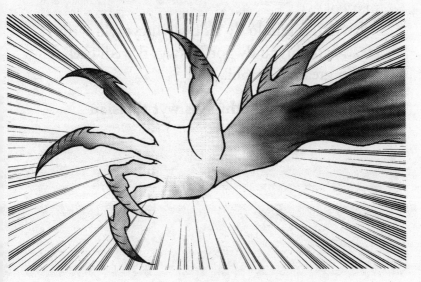

28

I'r chwith o orsaf y lleuad, rwyt ti'n gweld gwennol ofod tu allan i sied awyrennau.

- **Os wyt ti eisiau mynd i'r sied awyrennau, cer i 4**
- **Os wyt ti eisiau archwilio'r wennol ofod, cer i 33**

29

Rwyt ti'n gofyn, "Sut wyt ti'n gwybod hyn?"

Mae'r Cadlywydd Peters yn gwenu. "Am mai fi yw'r creadur estron!" Mewn chwinciad, mae'r cadlywydd yn trawsffurfio'n greadur estron.

Mae e'n cydio yn dy ben. Rwyt ti'n brwydro, ond fedri di ddim dianc rhag y crafangau marwol.

Rwyt ti'n teimlo dy feddwl yn cymylu wrth i'r creadur orchfygu dy gorff. Rwyt ti wedi cael dy droi'n greadur estron!

• **Rwyt ti wedi methu. Os wyt ti eisiau dechrau eto, cer i 1**

30

Rwyt ti'n mynd i'r stafell gyfarwyddo. Mae'r athro Stevens yno, yn aros amdanat ti.

Mae e'n dosbarthu offer y byddi di eu hangen, gan gynnwys systemau cynnal bywyd, arfwisg, pistol ynni, mapiau lloeren o'r orsaf a radio argyfwng.

Yna mae e'n pwyntio at ddwy eitem. Gwn anferth yw un, a bag cefn gyda sganiwr llaw yn sownd wrtho yw'r llall. "Gwn laser, a dyfais adnabod ffurf bywyd estron," mae'r athro'n egluro.

Rwyt ti'n asesu maint yr eitemau ac yn ysgwyd dy ben. "Fedra i ddim cario'r cwbl," rwyt ti'n ei ddweud. "Rhaid i mi allu symud yn gyflym. Dim ond un o'r pethau yma sy'n dod gyda mi."

- **Os wyt ti eisiau mynd â'r gwn laser, cer i 22**
- **Os wyt ti eisiau mynd â'r ddyfais AFfBE, cer i 14**

31

"Dere mas," rwyt ti'n gweiddi.

Rwyt ti'n ebychu wrth i fenyw gamu allan o'r cysgodion. "Fi yw'r Cadlywydd Peters," mae hi'n egluro. "Ro'n i'n meddwl mai'r creadur estron oeddet ti, dyna pam ro'n i'n cuddio. Roedd yna ymosodiad arnom ni. Fi yw'r unig un sy'n dal yn fyw. Roedd e'n ofnadwy…"

- **Os wyt ti eisiau clywed stori'r cadlywydd, cer i 9**
- **Os wyt ti eisiau defnyddio dy ddyfais AFfBE, cer i 47**

32

Rwyt ti'n gwirio'r atmosffer yng ngorsaf y lleuad. Mae'r ocsigen yn brin – diolch byth na wnest ti ddim tynnu dy helmed.

Rwyt ti'n nôl dy gyswllt cyfathrebu ac yn agor map lloeren o'r orsaf. Wrth i ti symud trwy'r coridorau, does yna ddim arwydd o unrhyw beth byw – dynol nac estron. Wedi i ti droi cornel, rwyt ti'n dod i ddiwedd coridor ac at ddau ddrws.

- **Os wyt ti eisiau mynd i mewn i'r stafell reoli, cer i 24**
- **Os wyt ti eisiau mynd i mewn i'r stafell gyfathrebu, cer i 45**

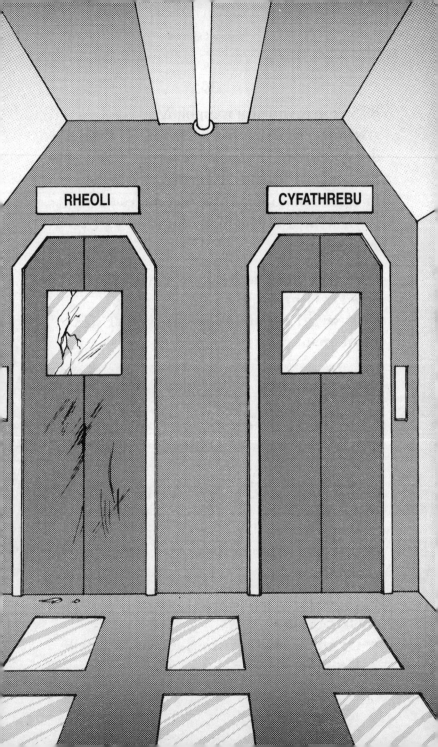

33

Rwyt ti'n mynd at y wennol. Mae ysgol yn
arwain at ddrws agored y llong ofod. Rwyt ti'n
dringo i mewn i'r wennol ac yn anelu am y llyw.
Mae golau'n fflachio ar y panel cyfathrebu.
Yr eiliad honno, rwyt ti'n edrych drwy'r ffenest
ac yn sylwi ar rywbeth yn symud yn y sied
awyrennau.

- **Os wyt ti eisiau gwrando ar y neges ar y
panel cyfathrebu, cer i 11**
- **Os wyt ti eisiau mynd i archwilio'r sied
awyrennau, cer i 4**

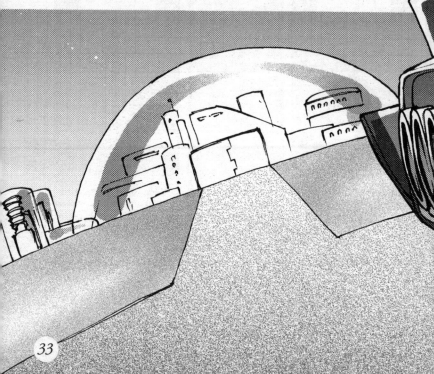

34

Rwyt ti'n pwyso botwm y drws. Mae'n agor, ac rwyt ti'n camu i mewn i'r stafell.

Wrth i'r goleuadau fflachio ymlaen, rwyt ti'n gweld siâp yn symud yn y cysgodion wrth y tanciau ocsigen. Rwyt ti'n estyn am dy bistol ynni.

- **Os wyt ti eisiau saethu at y siâp, cer i 27**
- **Os wyt ti eisiau gweiddi ar y siâp i ddangos ei hun, cer i 31**

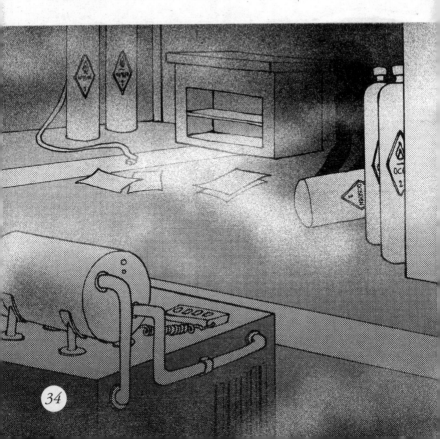

34

35

5... 4... 3... 2... 1... I FYNY!

Mae grym disgyrchiant yn dy wthio'n ôl i dy sedd wrth i'r llong ofod hyrddio ymlaen.

Yn sydyn, mae'r Saeth yn siglo i bobman ac mae'r caban yn dywyll. Mae mellten wedi taro'r llong ofod. Mae'r goleuadau argyfwng yn dod ymlaen. Mae fflamau'n fflachio o'r panel rheoli. Rhaid i ti wneud penderfyniad sydyn.

- **Os wyt ti eisiau rhoi'r gorau i'r gorchwyl, cer i 10**
- **Os wyt ti'n meddwl y gelli di ddelio â'r sefyllfa, cer i 2**

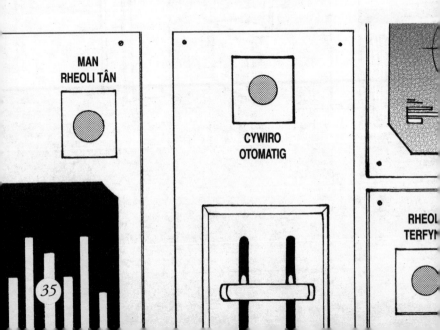

36

Rwyt ti'n ceisio edrych ar y cofnodion, ond mae pob un o'r nodiadau wedi mynd.

Rwyt ti'n gorchymyn i'r cyfrifiadur archwilio gorsaf y lleuad am unrhyw arwydd o fywyd.

O fewn eiliadau, mae'r cyfrifiadur yn siarad. "Mae rhywbeth byw yn y stafell gyfathrebu ac yn yr ardal systemau cynnal bywyd."

"Estron neu ddynol? A faint ohonyn nhw sy yno?" rwyt ti'n gofyn.

"Methu prosesu," mae'r cyfrifiadur yn ateb. Tybed ble ddylet ti ddechrau chwilio?

- **Os wyt ti eisiau edrych yn y stafell gyfathrebu, cer i 13**
- **Os wyt ti eisiau edrych yn yr ardal systemau cynnal bywyd, cer i 21**

37

"Be sy'n rhaid i mi wybod?" rwyt ti'n holi.

"Mae yna broblem gyda system hedfan awtomatig y cyfrifiadur," mae'r athro'n dweud. "Paid â dibynnu ar y system, yn enwedig os wyt ti'n hedfan trwy storm feteor. Os yw hynny'n digwydd, trosglwydda i reoli â llaw."

"Diolch, fe gofia i hynny."

"A pheth arall," mae'r athro'n dweud. "Pan fyddi di'n barod i lanio, gosoda'r manylion glanio ar ongl o 45 gradd."

- **Nawr cer i 5**

38

Rwyt ti'n anelu'r arf at y creadur estron ac yn amneidio arno i symud. Yn sydyn, mae'n llamu ymlaen ac yn rhedeg at ddrws y sied awyrennau'n gyflym iawn.

- **Os wyt ti eisiau saethu'r creadur estron, cer i 17**
- **Os wyt ti eisiau ei ddilyn, cer i 26**

39

Rwyt ti'n troi'r ddyfais AFfBE ymlaen ac yn ei bwyntio i gyfeiriad y drws. Mae'r sgrin yn fflachio'n goch – mae ffurf bywyd estron yn y stafell gyfathrebu!

- **Os wyt ti eisiau mynd i mewn i'r stafell gyfathrebu, cer i 45**
- **Os wyt ti eisiau chwilio am y criw, cer i 6**

40

Mae'r ongl lanio'n rhy serth! Mae'r llong ofod yn siglo i bobman ac yn cyflymu. Mae wyneb y lleuad yn agosáu.

- **Os wyt ti eisiau newid yr ongl lanio i 45 gradd, cer i 25**
- **Os wyt ti eisiau parhau ar yr ongl hon, cer i 16**

41

"Mae'r gorchwyl yn rhy bwysig i oedi," rwyt ti'n dweud. "Fe fentra i."

Rwyt ti'n gwneud dy ffordd i'r stafell cyn-lansio ac yn gwisgo dy siwt ofod. Mae'r offer yr wyt ti wedi eu dewis yn cael eu llwytho i'r Saeth.

Rwyt ti'n symud ymlaen i'r ardal lansio, ble mae llong ofod y Saeth yn aros. Rwyt ti'n sylwi ar gymylau tywyll a fflachiadau mellt yn y pellter. Mae'n bosibl y bydd y lansiad yn beryglus.

Rwyt ti'n dringo i mewn i'r Saeth ac yn eistedd yn dy sedd. Mae drws y llong ofod yn cau.

Rwyt ti'n gwirio'r pethau olaf, ac yn paratoi ar gyfer y lansiad.

Mae'r cyfrif yn dechrau: 10… 9… 8… 7… 6…

- **Cer i 35**

42

Ar ochr arall y stafell, rwyt ti'n gweld siambr bwysedd. Rwyt ti'n gwybod fod y siambr yn cael ei defnyddio i drin gofodwyr sy wedi dioddef damweiniau. Rwyt ti'n rhedeg at y siambr. Mae'r creadur estron yn rhedeg ar dy ôl. Rwyt ti'n cyrraedd y siambr ac yn agor y drws yn gyflym.

- **Os wyt ti eisiau mynd i mewn i'r siambr bwysedd, cer i 3**
- **Os wyt ti eisiau saethu'r creadur estron, cer i 17**

43

Rwyt ti'n cyrraedd gorsaf y lleuad ac yn agor y drws aerglo. Rwyt ti'n camu i mewn, gan gau'r clo allanol. Mae yna sŵn hisian aer. Rwyt ti'n agor y drws mewnol.

Rwyt ti'n symud i mewn i'r orsaf yn araf. Wrth i ti deithio ar hyd coridor metel, rwyt ti'n sylwi fod rhai o'r pibellau gwasanaeth wedi eu niweidio. Mae stêm yn tywallt ohonynt, gan achosi i dy helmed niwlo. Mae'n anodd gweld yn iawn.

- **Os wyt ti am dynnu dy helmed gofod, cer i 7**
- **Os wyt ti am gadw i wisgo dy helmed a dechrau archwilio'r safle, cer i 32**

44

Rwyt ti'n troi'r system hedfan awtomatig ymlaen wrth i'r meteorau hedfan tuag atat. Mae'r llong ofod yn ysgwyd oherwydd y storm farwol.

Mae meteor yn taro'r llong ofod. Dyw'r peilot awtomatig ddim yn gweithio! Mae meteor arall yn dyrnu i mewn i'r metel, gan greu twll anferth.

Mae'r caban yn llawn sŵn larymau swnllyd a goleuadau'n fflachio. Rwyt ti'n ceisio diffodd y peilot awtomatig. Mae'n rhy hwyr! Mae meteor arall yn taro.

Y peth olaf rwyt ti'n ei weld yw fflach o olau wrth i'r llong ofod chwalu.

• **Os wyt ti eisiau dechrau'r gorchwyl eto, cer yn ôl i 1**

45

Rwyt ti'n gwasgu botwm y drws. Wrth i'r drws agor, rwyt ti'n rhewi mewn braw. Mae creadur estron yn sefyll o dy flaen! Cyn i ti allu estyn am dy arf, mae e'n cydio ynot ti. Rwyt ti'n teimlo dy feddwl yn cymylu wrth i'r creadur orchfygu dy gorff. Rwyt ti wedi cael dy droi yn greadur estron!

• **Rwyt ti wedi methu. Os wyt ti eisiau dechrau'r gorchwyl eto, cer i 1**

46

Mae'r cyfarwyddwr yn gwenu. "Ro'n i'n gwybod na fyddet ti'n fy siomi i. Darllena hwn," mae e'n dweud, gan estyn ffeil i ti.

Rwyt ti'n cael cipolwg drwy'r e-lyfr, gan nodi'r pwyntiau pwysig.

Mae yna 12 o ddynion a merched yn byw ar orsaf y lleuad. Does neb wedi clywed dim oddi wrthynt, dim hyd yn oed neges argyfwng. Dydy'r lluniau lloeren ddim yn dangos unrhyw arwydd o ffrwydrad, nac o unrhyw niwed i'r orsaf.

"Fe fyddi di'n gadael mewn chwe awr," mae'r cyfarwyddwr yn dweud. "Bydd hynny'n rhoi amser i ti baratoi ar gyfer y gorchwyl. Pob lwc."

- **Nawr cer i 30**

47

Rwyt ti'n troi'r ddyfais AFfBE ymlaen yn gyflym. Mae'r sgrin yn troi'n goch ar unwaith.

"Felly, rwyt ti'n gwybod beth ydw i!"

Rwyt ti'n edrych lan ac yn gweld y cadlywydd yn trawsffurfio i mewn i greadur estron.

- **Os wyt ti eisiau saethu'r creadur, cer i 17**
- **Os wyt ti eisiau dianc, cer i 42**

48

Rwyt ti'n tanio'r ddyfais AFfBE ac yn anelu'r ddyfais at y tanciau ocsigen. Mae'r sgrin yn fflachio'n goch – mae yna ffurf estron yn cuddio tu ôl i'r tanciau! Yn araf, rwyt ti'n estyn am dy bistol ynni.

- **Os wyt ti eisiau mynd yn ôl i'r orsaf, cer i 43**
- **Os wyt ti eisiau mynd yn nes at y ffurf estron, cer i 23**

49

Rwyt ti'n newid dull rheoli'r llong ofod i ddull rheoli â llaw.

Rwyt ti'n cydio'n dynn yn y llyw. Mae'r meteor cyntaf yn nesáu, ac rwyt ti'n llwyddo i lywio'r llong ofod oddi wrth y graig farwol.

Mae meteor arall yn agosáu. Eto, rwyt ti'n llwyddo i lywio'r llong oddi wrth y perygl. Mae dy galon yn curo'n gyflym wrth i ti lywio'r llong ofod drwy'r storm. Dro ar ôl tro, rwyt ti bron â chael dy daro ond rwyt ti'n llwyddo i osgoi'r meteorau marwol.

Ond, wrth i'r munudau basio, rwyt ti'n sylweddoli dy fod ti'n dechrau blino.

- **Os wyt ti eisiau rhoi'r gorau i'r gorchwyl, cer i 10**
- **Os wyt ti eisiau parhau, cer i 12**

50

Rwyt ti'n troi'n ôl at y stafell gyfathrebu ac yn gosod y ddyfais AFfBE yn erbyn y drws.

Does dim sôn am ffurfiau estron, felly rwyt ti'n agor y drws. Mae criw gorsaf y lleuad i mewn yno. Maen nhw'n diolch i ti am eu hachub. Rwyt ti'n gorchymyn i rai o'r criw fynd i warchod y siambr bwysedd.

Yn ôl yn yr ystafell reoli, maen nhw'n dweud yr hanes am sut y gorchfygodd y creadur estron y cadlywydd Peters a'u carcharu nhw i gyd.

Nawr fod y creadur estron wedi'i ddal, mae'r cyswllt cyfathrebu gyda'r Ddaear wedi'i adfer. Rwyt ti'n cysylltu â'r cyfarwyddwr ac yn dweud yr hanes wrtho.

"Da iawn," mae'r cyfarwyddwr yn dweud. "Mae'r Ddaear yn ddiogel am y tro! All y creadur estron ddim cysylltu â'i blaned ei hun. Mae'r cynllun i ymosod ar y Ddaear wedi methu! Rwyt ti'n arwr go iawn!"

Os wyt ti wedi mwynhau darllen

Arwr y Gofod

mae rhagor o deitlau yn
y gyfres Arwr.

**Arwr yr
Ail Ryfel Byd**
978-1-904357-70-4

**Arwr y
Môr-ladron**
978-1-904357-69-8

**Arwr y
Groegiaid**
978-1-904357-72-8

**Arwr y
Llychlynwyr**
978-1-904357-71-1

**Arwr yr
Ymerodraeth**
978-1-904357-73-5

**Arwr y
Rhufeiniaid**
978-1-904357-74-2

**Arwr y
Tim Taro**
978-1-904357-75-9

www.rily.co.uk

Arwr y Tîm Taro

Steve Barlow – Steve Skidmore
Darluniau gan Sonia Leong
Addasiad gan Catrin Hughes

Rwyt ti'n aelod o'r Tîm Taro, criw gweithredu'r
Lluoedd Arbennig. Rwyt ti wedi cymryd rhan
mewn sawl gorchwyl peryglus ar hyd a lled y byd.
Mae'r llywodraeth yn galw ar y Tîm Taro pan fydd
popeth arall wedi methu. Rhaid i ti fod ar gael
24 awr y dydd, 7 diwrnod yr wythnos.

Fel uwch aelod o'r llu, rwyt ti'n arbenigwr ar
ymladd ac arfau. Rwyt ti'n siarad nifer o ieithoedd
hefyd. Un bore, rwyt ti yng nghampfa y Tîm Taro
pan ddaw milwr i mewn a saliwtio. "Mae Nemesis
yn gofyn am gael eich gweld ar unwaith. Sefyllfa
Côd Du," mae e'n dweud. Ffugenw'r pennaeth yw
Nemesis, a Chôd Du yw'r gorchwyl lefel uchaf.
Beth bynnag yw'r dasg sy ar y gweill, fe fydd hi'n
hynod o beryglus.

ARWR
DEWIS DY DYNGED
Arwr y Tîm Taro
Steve Barlow - Steve Skidmore
Addasiad Catrin Hughes